BLOMSTER BLADE OG BÆR
I KORSSTING

イングリット・プロムのデンマーク・クロスステッチ I
花とベリー

デザイン **イングリット・プロム**
訳・監修 **山梨幹子**

目次

まえがき ………………………… 3	クレマチス ………………………… 50
ステッチ ………………………… 4	樫の実と葉 ………………………… 52
仕上げ方 ………………………… 8	すみれ ………………………… 54
せつぶん草 ………………………… 16	きじむしろ ………………………… 56
林檎の花 ………………………… 20	いちごの花 ………………………… 58
昼顔 ………………………… 24	デイジー ………………………… 60
クリスマスローズ ………………………… 28	葉っぱのリース ………………………… 62
アイビー ………………………… 32	アルファベット ………………………… 64
こけもも ………………………… 36	葉っぱの縁飾り ………………………… 66
ばらの実 ………………………… 40	小さい花と葉っぱ ………………………… 68
りんぼく ………………………… 44	
スコットランドのバラ ………………………… 48	［付録］仕上げのアイデア 44 作品 ………………………… 71

Blomster, blade og bær I korssting
Første gang udgivet i Danmark i 2003
af © Forlaget Klematis A/S, Østre Skovvej 1,
8240 Risskov DK.
Tekst: © Ingrid Plum
Foto: © Jette Ladegaard
Mønstertegninger: Finn Leth
Forlagsredaktion: Claus Dalby
www.klematis.dk
The japanish edition © Yamanashi Hemslöjd
All rights reserved

まえがき

この本でご紹介している花とベリーの模様をデザインすることは、私にとって大きなチャレンジでした。ここまで完成できたのも、若いころよりすばらしい先生方に恵まれたおかげと、心より感謝しています。

1960年代、デンマーク手工芸ギルドの工芸学校の生徒だった私は、有名な水彩画家のアグネーテ・ワーミング女史に花々の描き方を学びました。彼女は魅力的な女性で、私に花とベリーの描き方を、特にベリーのつややや影、光沢の表現の仕方を教えてくれました。本来私は花の絵を描くコースではなく、刺繍や織物のコースに所属していたのですが、花を描くことは、私にとってとても興味深い体験でした。

さらにゲルダ・ベングトソン女史から、刺繍のためのさまざまなデザインの手法を学びました。彼女はワーミング女史のクラスで私が描いた黒スグリを、プチポワン刺繍で表現する方法を教えてくれました。このときクラスでゲルダ・ベングトソン女史から教わったのは私だけでした。（数年後には他の生徒にも教えるようになりました）。彼女は私の花に対する愛情に気づき、彼女の持つ特別なテクニックを教えたかったのかもしれません。とくにベングトソン女史の野の花のクロスステッチはすばらしく、単純かつ繊細な描き方で、独特の美しさを生み出しました。野の花のデザインにおいて、彼女の作品に勝るものはありません。

この本を作ることは昔からの夢でした。これが実現できたのは、ラーセン氏をはじめとする友人たちのおかげです。また撮影のために素敵な家を貸してくださったクリステンセン氏にも深く感謝しています。彼のおかげで私の刺繍作品たちは、すばらしい環境に包まれることができました。

みなさんに、私のデザインした刺繍をお楽しみいただけたら幸いです。

イングリット・プロム

ステッチ

本書のモチーフは右側にクロスステッチの色糸番号を表示、その右側か下に、バックステッチの記号（|/）が示されています。（糸は主にデンマーク手工芸ギルドの花糸を使用。別の糸を使用する場合はそれぞれ明記しています。）

クロスステッチ

1マスを麻布2目×2目とします。
左下から右上に☒形になるように糸を刺し、次に右下から左上に☒形に刺して1つのクロスステッチができます。

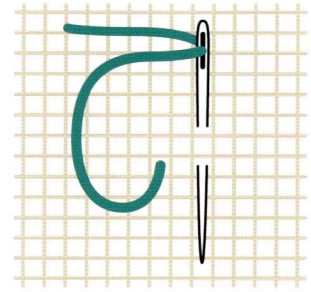 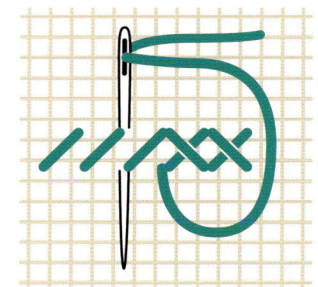

a) 横に進むクロスステッチ

左から右へ刺します。麻布2目を単位に左下端から右上端へ☒形が並ぶように刺し、予定のマス目を刺し終えたら、☒形になるように刺しながら戻りクロスステッチを完成させます。

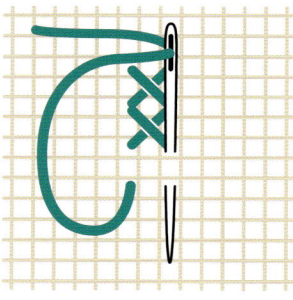 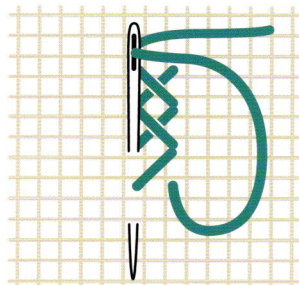

b) 垂直に進むクロスステッチ

一つのクロスステッチごとに完成させながら、下へ刺し進みます。ヨコに進むクロスステッチと同様に、裏側に渡る糸は常に垂直の線になって出てきます。

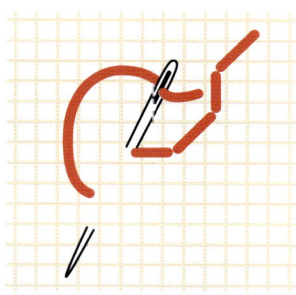

バックステッチ

1マスを麻布2目×2目とします。縦・横・斜めと進む先の麻布2目をとって、元位置にバック（戻る）して、刺し進みます。

1マスの中に半分（1/2）の細い変化を表わすバックステッチを刺すときは、1マス（2目×2目）の中で、横に1目ずらしたり、縦に1目ずらして刺します。

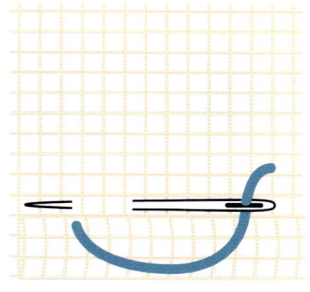 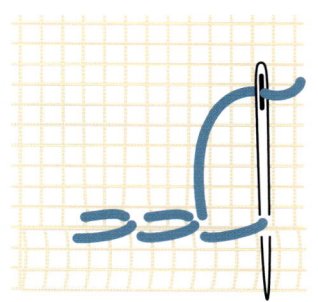

ヘムステッチかがり

ヘムを三つ折りにし、しつけをして刺繍裏から刺します。ヘムの内側と刺繍した布の際で、刺繍した布3目を上図のようにすくって糸を引き、針を入れた同じ位置のヘムの上辺を1目すくって、しっかり固定させながら、刺し進めます。

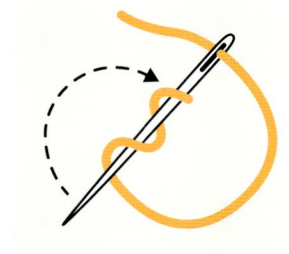 

フレンチノット

定位置より針を出し、上図のように2回糸を巻き、指で押さえながら糸を引いて、再び、針を出した同じ穴に針を入れると、1～2mmの結び目ができます。

モチーフ

本書の全ての模様は、正方形のマス目で描かれており、一マスは布目2目×2目となっています。可能な場合は、モチーフの中心点を矢印で記しています。ドイリー、テーブルセンター、カーペット等は、刺したい大きさや長さが人によって異なります。作業を少しでも楽にするために、好きなモチーフを選んだら、まずそのモチーフのコピーをとりましょう。次にテープ等で接着して中心に印を入れます。このとき、コピーの重なり部分が広すぎたり狭すぎたりしないよう注意してください。

掲載作品に関しては刺繍の部分のサイズも示しています。

なお、モチーフが写真の色と異なることがあります。これは単に、描かれているモチーフを区別しやすくするためです。

刺繍用の布地

刺繍用の麻布を用意する際は、刺繍部分と仕上げのための十分な余裕があるかどうかを確認してください。完成作品（写真）と刺繍のサイズはあくまで目安です。

この本に掲載している作品は、主に巾150cm、1cmに10目と11目の麻布を使用しています。15ページの袋としおりには、巾7cmで12本/1cmと巾5cmで11本/1cmの麻テープを使用しています。（訳注：1cmに10本も11本も実際の布自体が正確に織られておらず、そのでき上がりサイズの差違が極少のため本書では10本/cmに統一しました。）

刺繍をする前にまず、布がほつれないよう、縁にほつれ止めをします。次に目数を数えやすいように縦・横にしつけで印をつけておくと便利です。数え間違いをしやすいモチーフもありますので、注意してください。あとから間違いに気づいて刺し直すのはとても大変です。正しく刺しているかどうか、途中でたびたび確認することをおすすめします。

大きめのリースの直径が異なるのは、布の縦と横の目の巾が若干異なるためです。

刺繍糸

本書では特に指定がない場合は、デンマーク手工芸ギルドの花糸を使用しています。DMCの糸など、他の糸を使う場合は明記しています。刺繍用の糸は、糸を染める釜によって色が異なることがありますので、大きな作品を始める前には同じ糸釜のものであるかを確かめましょう。

リボン

本著で使用しているリボンの多くは、織りのリボンです。

洗濯とアイロン

刺繍作品は手洗い、もしくは洗濯機のウール洗い機能（30℃程度のぬるま湯を使用）で洗濯可能ですが、必ず無漂白洗剤を使用してください。刺繍用の麻布はドライクリーニングをすると繊維がいたむおそれがありますので注意しましょう。

洗濯後、かわかすときは二枚のタオルの間にはさみます。完全にかわく前が、一番アイロンをしやすい状態です。色落ちすることがありますので、はじめての作品を洗う場合は、水に浸したり、丸めたりしないようにしましょう。アイロンをあてるときは、やわらかい下敷きの布に、刺繍の表側を下にしておき、かたく絞った布を上からかぶせます。布がまだ湿っているうちに刺繍を整え、刺繍の裏側からアイロンをかけます。

仕上げをする前にも必ずアイロンをかけるようにしましょう。

本書の小さいモチーフは、カードなどにすることもできます。作り方は次ページ参照。

仕上げ方

カード

小さな刺繍を貼るカードは、手芸専門店で購入することができますが、自分で作ることも可能です。前ページのカードの場合は、三つ折りにしたカードの真ん中の面に穴を開けます。開口部の裏面のふちに接着剤をつけ、刺繍がのぞくように貼ります。左右どちらか一面を、刺繍の裏側を隠すように貼ります。開くと、挨拶文のスペースができます。

クッション

刺繍の部分に縫いしろ分をとって、余分の布を裁断します。図1のように4枚の布で枠を縫います。布と刺繍を中表にして縫い合わせます。布を対角に折って、図2aのように斜めに角を縫います。あまった布を落とし、図2bのように両側に縫いしろをひろげます。図3aと図3bのようにボタン付けの裏張り布を用意します。刺繍と裏を中表にして縫います。

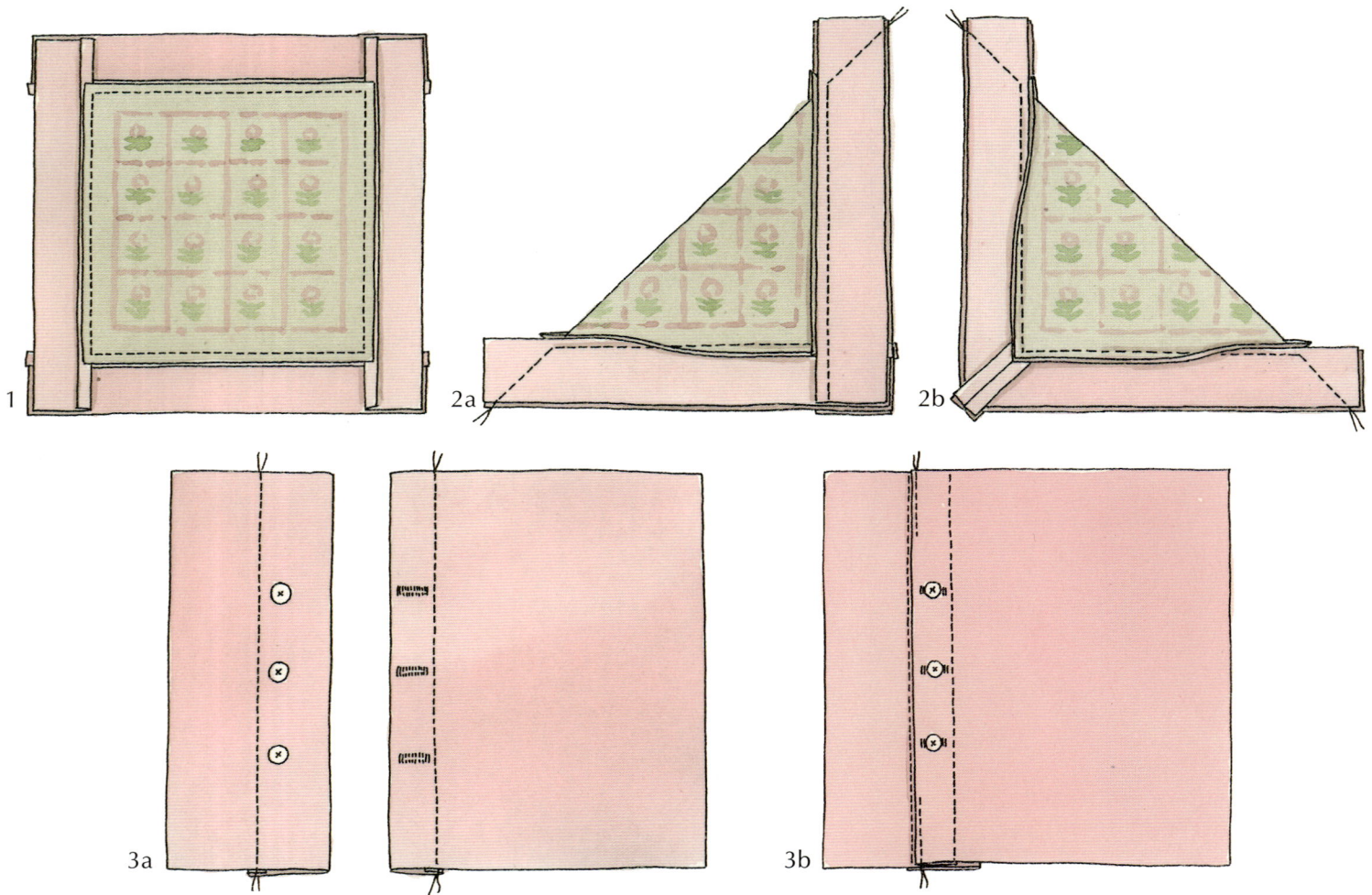

クッション　未ざらし麻布10目を使用。用意する布のサイズ35×35cm。仕上りサイズ38×38cm。刺繡の部分24×24cm。
仕上げ方：各小花を囲む枠は、58目×58目。モチーフは68ページ参照。周囲の綿テープは巾5cm＋縫いしろ分を用意し、刺繡より2cm布を残して縫いつけます。かわいいレースを縫い合わせ目に飾りつけます。

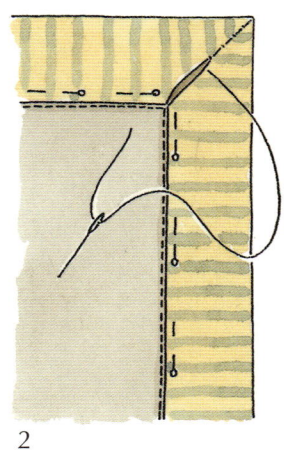

1　　　　　2

ボーダー布のあるテーブルクロス
8ページで説明したクッションと同じように、刺繍の周囲に枠を縫いつけます。さらに布を対角に折り、図1のように斜めに角を縫います。ここで注意したいのは、縫い目を半分までしか縫わないこと。あまった布を切って両端の縫い目に合わせ、ボーダー布の縫い目に沿って角を折ります。布枠を裏返して図2のように斜めに角を縫います。そして縫い目に沿って刺繍布に縫いつけます。ボーダー布がダブルですから、巾は用意する布の1/2サイズになります。

ボーダー布のあるドイリーとスペースマット
小さいドイリーとスペースマットの周りのボーダー布はテーブルクロスのボーダー布と同じように縫います。上の説明を参考にしてください。

林檎の花のナプキンリング
漂白した10目の麻布を使用。用意する布のサイズ10×22cm。刺繍の部分6×6.5cm。仕上りサイズ8×18cm。刺繍部分から1cm布を残して長い辺を折り、細巾のバイヤステープを使用してパイピング仕立てをします。布を輪にして合わせます。

昼顔のドイリー
漂白した10目の麻布を使用。用意する布のサイズ26×26cm。刺繍の部分14.5×14.5cm。仕上りサイズ19.5×19.5cm 麻布を刺繍より2.5cm布を残して、巾1.5cmのヘムステッチで仕上げます。

昼顔のポーチ
漂白した10目の麻布を使用。用意する布のサイズ20×20cm。刺繍の部分15×15cm。仕上りサイズ23×27cm。8ページで説明したように、巾4cm+縫いしろ分の布を用意して、刺繍の周りに縫いつけます。同じ大きさの裏布を用意して、刺繍と中表に縫い合わせます。巾8～10cmの布を袋の口の部分に縫いつけ、ひも通しを作ります。

ばらの実のドイリー
未ざらしの10目の麻布を使用。用意する布のサイズ23×23cm。刺繍の部分14×14cm。仕上りサイズ17×17cm。仕上げ方は前項参照。巾2cm+縫いしろ分の布を用意して、刺繍より5mmの位置に縫いつけます。

りんぼくのドイリー

未ざらしの麻布 10 目を使用。用意する布のサイズ 23×23cm。
刺繡の部分 15×15cm。仕上りサイズ 20×20cm。
仕上げ方は前ページを参照。巾 3cm+ 縫いしろ分の布を
用意して、刺繡より 1cm 布を残して縫いつけます。さらに巾
2mm のリボンをつけ加えます。

りんぼくのコーヒーポットカバー

巾 3cm+1cm の縫いしろ分の布を用意し、図と同じ大きさ
の三角形を 3 枚用意します。
三角形の布と刺繡より 2.5cm 布を残して縫いつけます。各々
のピースを刺繡より 3.5cm 脇布を残した位置で縫い合わせ
ます。最後に三角形の部分を縫い合わせます。巾 1cm の
リボンをその合わせ目につけます。インナーは化繊綿と裏布で
作ります。下から出る余分な布はフードの中に折り上げ、縫
いつけます。

クリスマスローズのピンクッション

未ざらし麻布 10 目使用。用意する布のサイズ 20×20cm。
刺繡の部分 7×7cm。仕上りサイズ 15×15cm。
刺繡より 4cm 布を残して巾 1cm のリボンを縫いつけます。

クリスマスローズのドイリー

未ざらし麻布 10 目を使用。用意する布のサイズ 14×14cm。
刺繡の部分 7×7cm。仕上りサイズ 10×10cm。
刺繡より 1.5cm 布を残し、折ってからボーダー柄をドイリー
に縫いつけます。

アイビーのドイリー

未ざらし麻布 10 目を使用。用意する布のサイズ 14×14cm。
刺繡の部分 7×7cm。仕上りサイズ 10×10cm。
刺繡より 1.5cm 布を残して、ボーダー布をドイリーに縫いつ
けます。

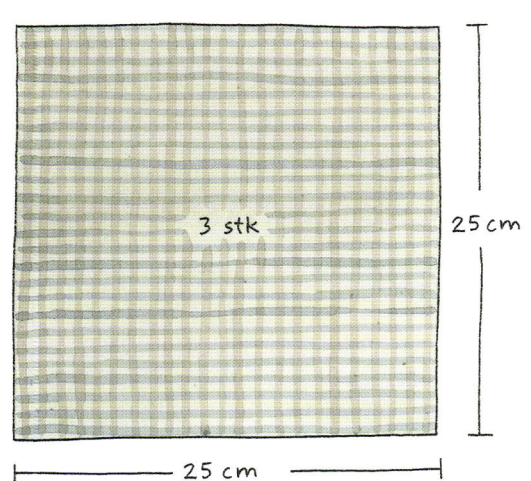
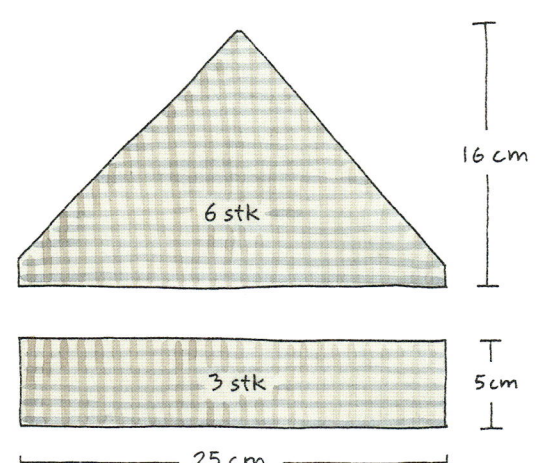

アイビーのリースのバッグ

刺繍を16×16cm+縫いしろ分に切ります。同じ大きさで麻布も切ります。2枚を中表に合わせ、表側が前になるように裏返します。巾1cmのリボンを縫い合わせた縁にかがりつけます。この部分はポケットに使われます。

バッグは30×30cm+縫いしろ分の布を2枚用意して、取っ手用に5×65cm+縫いしろ分の細長い布を2枚用意します。取っ手の布の長い辺を縫い、表側を前にして縫いつけます。刺繍を片面の布の中央につけ、巾1cmのリボンでポケットの口と底の縁を被うように縫いつけます。図2のように取っ手を縫いつけることもできます。あるいは図3のように巾1cmのリボンでバッグの底からポケットの横の縁を被せるように取っ手部分をつけ、反対側を通って下まで戻るように縫いつけます。これでポケットは取りつけられました。同じように反対側のバッグ面もポケット抜きで、縫いつけます。2枚のバッグ布を中表に合わせ、三辺を縫い合わせます。表面が前になるようひっくり返します。同様にして裏地を縫いつけます。裏地の裏側と外側のポケットの裏側を縫いつけます。

こけもものドイリー

漂白した麻布10目を使用。用意する布のサイズ26×26cm。刺繍の部分7×7cm。仕上りサイズ19×19cm。
刺繍より6cm布を残して、巾1.5cmのヘムでヘムステッチかがりをします。もしくはドイリーの布にレースをつけ加えることもできます。

こけももの小袋

漂白した麻布10目を使用。用意する布のサイズ14×14cm。刺繍の部分7×7cm。仕上りサイズ15×24cm。
麻布を袋のサイズに切り、刺繍より1.5cm布を残して折り、袋の表側につけます。ひも通しを縫い、ひもを通します。さらに袋の端にレースをつけ加えます。

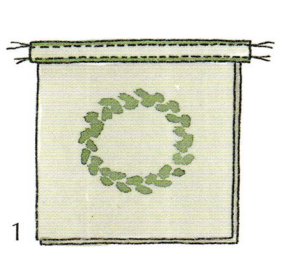
1

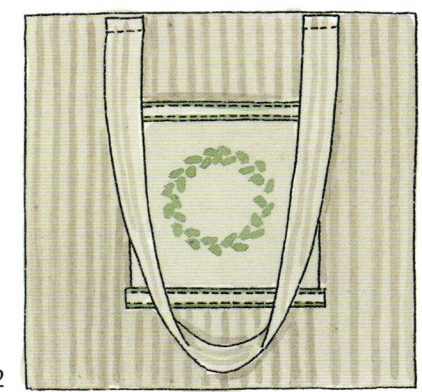
2

3

バッグ 未ざらし麻布10目を使用。用意する布のサイズ20×20cm。仕上りサイズ30×30cm。刺繍の部分10.5×10.5cm。
仕上げ方は、前ページ参照。

きじむしろリースのティーポットカバー

巾8cm+縫いしろ分の細長い布を用意します。刺繍の三面に布を縫いつけます。

インナーは化繊綿と布で作ります。下から出る余分な布はフードの中へ折り上げ縫いつけます。

デイジーリースのバッグ

写真の作品（13ページ）の取っ手は巾1cm×1m長さの4本のリボンが2本ずつ並び、約巾1.5cmのテープに縫いつけてあります。テープの両端は最終的にバッグの中に縫いつけます。刺繍より1cm布を残して、3cmのマチをとります。図1のようにリースより2cm布を残してリボンを縫いつけます。刺繍を中表に合わせ、三方を縫います。両横の縫いしろを開いて下の縫い目の上に置き、6cmほど図2のように縫います。表が前になるように裏返します。

バッグの型をつくり、マチが6cmになるように整えます。バッグの底と同じ大きさの厚紙などを切り取り、底に入れます。

2cmほど底を短かくした裏地を縫います。この裏地の裏側をバッグの裏側に縫いつけます。

ボーダー柄の筒型袋

大きい袋：用意する布のサイズ 巾20cm麻テープ50cm。刺繍の部分巾2cm。仕上りサイズ高さ20cm、直径14.5cm。

小さい袋：用意する布のサイズ 巾14cm麻テープ40cm。刺繍の部分巾2cm。仕上りサイズ高さ14cm、直径12cm。

大きい袋には直径14.5cm+縫いしろ分の底部分の布、20×45cm+縫いしろ分側面の布が必要です。

小さい袋には直径12cm+縫いしろ分の底部分の布、14×37cm+縫いしろ分側面に布が必要です。

布の巾広い部分と麻布テープを布がつらないように縫いつけます。

円筒型に縫ってから底を縫いつけます。裏地を用意し裏地の裏側を袋の裏側とあわせて縫いつけます。

パッチワークの毛布

未ざらし麻布10目を使用。用意する布のサイズ30×30cmを8枚、16×16cmを4枚。

刺繍の部分22×22cm、10.5×10.5cm、2.5×2.5cm。仕上りサイズ99×152cm。

大きめの刺繍の周りと間に巾6cm+縫いしろ分の細長い布を用意し縫いつけます。次に巾12cm+縫いしろ分の細長い布を用意して、小さめの刺繍が角にくるように布を配置し取りつけます。さらに四隅の小さい刺繍の周りに巾1cmのリボンをつけ加えます。最後に巾6cmのボーダーと裏面の布にキルティング布を取りつけます。それぞれをキルティング技法で取りつけます。

1　　2

刺繍の鉢カバー袋 未ざらし麻布12目 巾7cmの麻テープを使用。 仕上げ方は前ページ参照。
ブックマーク（しおり） 巾5cmの麻テープ（11目/1cm）を使用。
仕上げ方：両端は刺繍の際でフリンジ用ステッチかがりで始末します。フリンジは2cmで切りそろえます。モチーフは66ページ参照。

せつぶん草

	123
	26
	223
	101
	100

テーブルクロス 未ざらし麻布10目を使用。用意する布のサイズ70×70cm。仕上りサイズ60×60cm。刺繍の部分40×42cm。
仕上げ方：刺繍より9〜10cm布を残し、ヘム巾2cmで三つ折にして、ヘムステッチかがりをします。
ドイリー モチーフは次ページ参照。

せつぶん草

ドイリー 未ざらし麻布10目を使用。用意する布のサイズ26×26cm。仕上りサイズ19×19cm。刺繍の部分14×14cm。
仕上げ方：刺繍より2.5cmのでき上がりとして、ヘム巾1.5cmでヘムステッチかがりをします。仕上げ方は5ページ参照。

林檎の花

テーブルクロス 麻布10目を使用。用意する布のサイズ70×70cm。仕上りサイズ67×67cm。刺繍の部分45×47cm。
仕上げ方：刺繍より10〜11cm布を残し、ヘム巾1.5cmの三つ折りをして、ヘムステッチかがりをします。

林檎の花

ドイリー 麻布10目を使用。用意する布のサイズ26×26cm。仕上りサイズ17.5×17.5cm。刺繡の部分14.5×14.5cm。
仕上げ方：刺繡より1.5cmをでき上がりとし、ヘム巾1cmで三つ折りをして、ヘムステッチかがりをします。仕上げ方は5ページ参照。
ナプキンリング モチーフは20ページ参照。裁ち方、仕上げ方は10ページ参照。

昼顔

テーブルクロス 麻布10目を使用。用意する布のサイズ70×70cm。仕上りサイズ67×67cm。刺繍の部分45×47cm。
仕上げ方：刺繍より10〜11cm布を残して、ヘム巾1cmで三つ折りをして、ヘムステッチかがりをします。 仕上げ方は 5ページ参照
ドイリー モチーフは次ページ参照。裁ち方、仕上げ方は10ページ参照。

昼顔

48
304
228
506
10
9

クッション 麻布10目を使用。用意する布のサイズ25×25cm。仕上りサイズ38×38cm。刺繍の部分15×15cm。
仕上げ方：周囲の布は8cm＋縫いしろ分を用意し、刺繍より3.5cm 布を残したところで縫い合わせます。1cm巾のストライプのリボンを飾りつけます。
ポーチ 裁ち方、仕上げ方は10ページ参照。

テーブルクロス 未ざらし麻布10目を使用。用意する布のサイズ70×70cm。仕上りサイズ82×82cm。刺繍の部分40×42cm。
仕上げ方：28cm＋縫いしろ分のチェック柄を用意し、刺繍より6〜7cm布を残して縫いつけます。
ナプキン モチーフは次ページ参照。
ピンクッション 仕上げ方は11ページ参照。

クリスマスローズ

600
303
48
505
40
10
100
210
9
10 +DMC 223
（1本）で2本どり

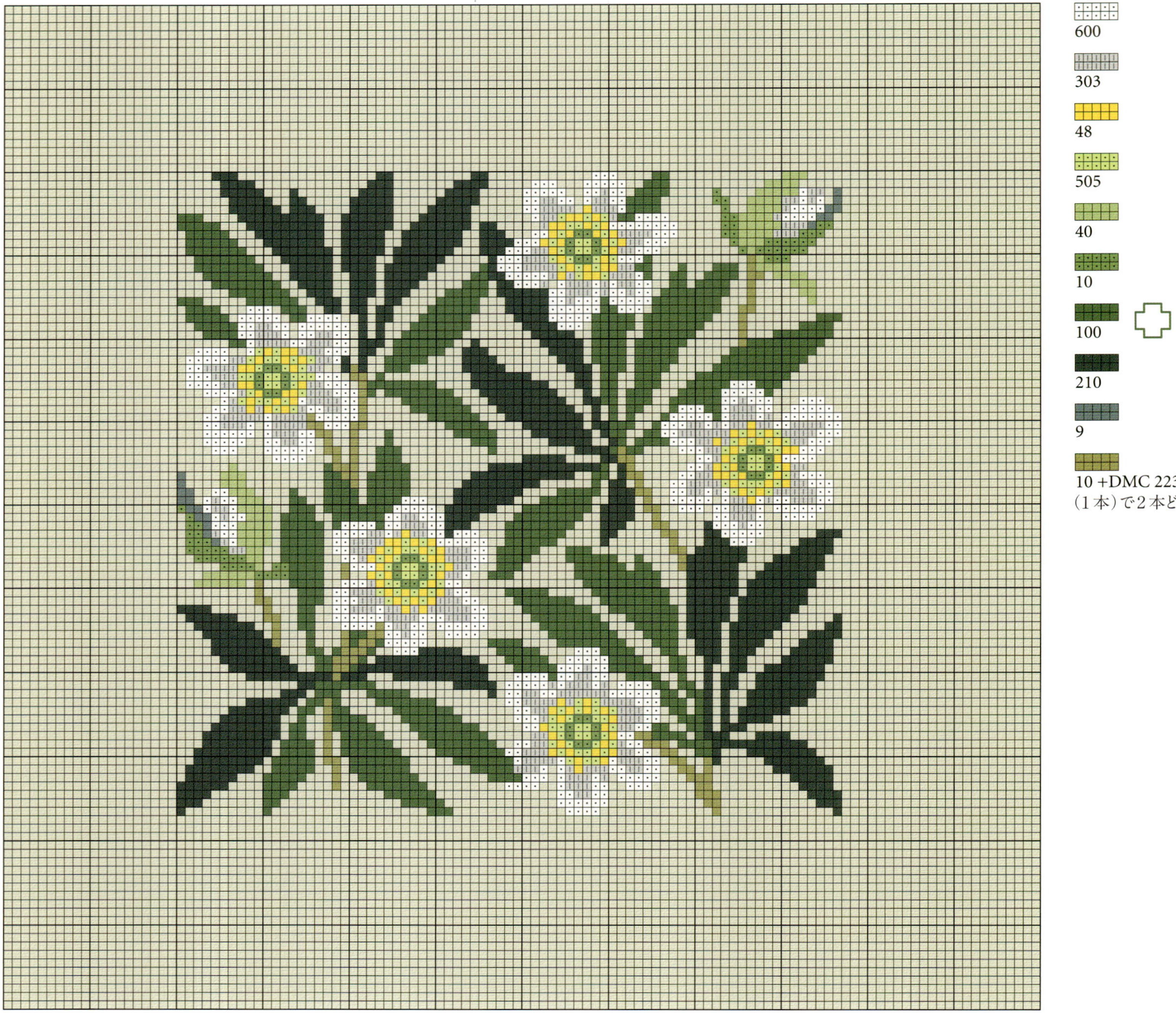

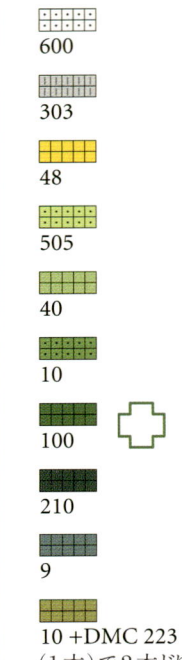

ドイリー 未ざらし麻布10目を使用。用意する布のサイズ23×23cm。仕上りサイズ19×19cm。刺繍の部分15×15cm。
仕上げ方:巾3cm+縫いしろ分のチェック柄を用意し、刺繍より5mm布を残して、四隅を額縁仕立てで仕上げます。仕上げ方は10〜11ページ参照。
ランチョンマット モチーフは28ページ参照。裁ち方、仕上げ方は11ページ参照。

アイビー

テーブルクロス 未ざらし麻布10目を使用。用意する布のサイズ70×70cm。仕上りサイズ79×79cm。刺繍の部分40×42cm。
仕上げ方：巾28cm＋縫いしろ分のストライプ柄布を用意し、刺繍より4～5cm布を残し縫い合わせます。巾1cmのリボンをつけ加えます。
仕上げ方は10ページ参照。ドイリーのモチーフは次ページ参照。

アイビー

ドイリー 未ざらし麻布10目を使用。用意する布のサイズ23×23cm。仕上りサイズ18.5×18.5cm。刺繍の部分14.5×14.5cm。
仕上げ方：巾3cm+縫いしろ分のストライプ柄布を用意し、刺繍より5mm布を残して縁に縫いつけます。仕上げ方は10ページ参照。
ランチョンマット モチーフは32ページ参照。裁ち方、仕上げ方は11ページ参照。

こけもも

テーブルクロス 麻布10目を使用。用意する布のサイズ70×70cm。仕上りサイズ67×67cm。刺繡の部分45×47cm。
仕上げ方：刺繡より10〜11cm布を残して、ヘム巾1.5cmのヘムステッチかがりをします。
ヘムステッチかがりは5ページ参照。ドイリーのモチーフは次ページ参照。

こけもも

ドイリー 麻布10目を使用。用意する布のサイズ26×26cm。仕上りサイズ19.5×19.5cm。刺繍の部分14.5×14.5cm。
仕上げ方：刺繍より布を2.5cm残して、ヘム巾1.5cmでヘムステッチかがりをします。ヘムステッチかがりは5ページ参照。
ドイリーと小袋 モチーフは36ページ参照。用意する布のサイズと作り方は12ページ参照。

ばらの実

テーブルクロス 未ざらし麻布10目を使用。用意する布のサイズ70×70cm。仕上りサイズ67×67cm。刺繍の部分40×42cm。
仕上げ方：巾16cm+縫いしろ分のチェック柄布を用意し、刺繍より4〜5cm布を残して縫いつけます。仕上げ方は10ページ参照。
ドイリーのモチーフは次ページ参照。

ばらの実

クッション 未ざらし麻布10目を使用。用意する布のサイズ25×25cm。仕上りサイズ37×37cm。刺繍の部分14×14cm。
仕上げ方：巾10cm＋縫いしろ分のチェック柄布を用意し、刺繍より1.5cm布を残して縫いつけます。
その縫い合わせ目に巾1cmのリボンを縫いつけます。クッションの作り方は8ページ参照。
ドイリー 用意する布のサイズと作り方は10ページ参照。

りんぼく

テーブルクロス 未ざらし麻布10目を使用。用意する布のサイズ70×70cm。仕上りサイズ78×78cm。刺繍の部分40×42cm。
仕上げ方:巾22cm+縫いしろ分のストライプ柄の布を用意し、刺繍から6〜7cm布を残して縫いつけます。巾1cmのリボンを縫い合わせ目につけます。
ドイリー 用意する布のサイズと作り方は11ページ参照

りんぼく

コーヒーポットカバー 未ざらし麻布10目を使用。用意する布のサイズ 各1枚27×27cmを3枚用意。
仕上りサイズ 冬23×23×23cm+トップ紐。刺繍の部分23.5×23.5cm。
ドイリー 用意する布のサイズと作り方は11ページ参照。

スコットランドのバラ

クッション 未ざらし麻布10目を使用。用意する布のサイズ34×34cm。仕上りサイズ38.5×38.5cm。刺繍の部分23.5×23.5cm。
仕上げ方：巾4.5cm＋縫いしろ分のストライプ柄の布を用意し、刺繍より3cm布を残して縫いつけます。
巾1cmのリボンを縫い合わせ目につけます。仕上げ方は8ページ参照。

クレマチス

234

5

26

花の中心はクロスス
テッチ4個に2本取り
で2回まわしたフレンチ
ノットをつくります。
刺し方は5ページ参照

10

100

210

212

0

クッション 未ざらし麻布10目を使用。用意する布のサイズ34×34cm。仕上りサイズ38.5×38.5cm。刺繍の部分23.5×23.5cm。
仕上げ方：巾4.5cm＋縫いしろ分のストライプ柄の布を用意し、刺繍より3cm布を残し縫いつけます。
その縫い合わせ目に巾1cmのリボンを取りつけます。仕上げ方は8ページ参照。

樫の実と葉

クッション 未ざらし麻布10目を使用。用意する布のサイズ34×34cm。仕上りサイズ38.5×38.5cm。刺繍の部分23.5×23.5cm。
仕上げ方：巾5cm＋縫いしろ分のチェック柄の布を用意し、刺繍より2cm布を残して縫いつけます。
縁周りにクッション用市販コードをつけます。仕上げ方は8ページ参照。

すみれ

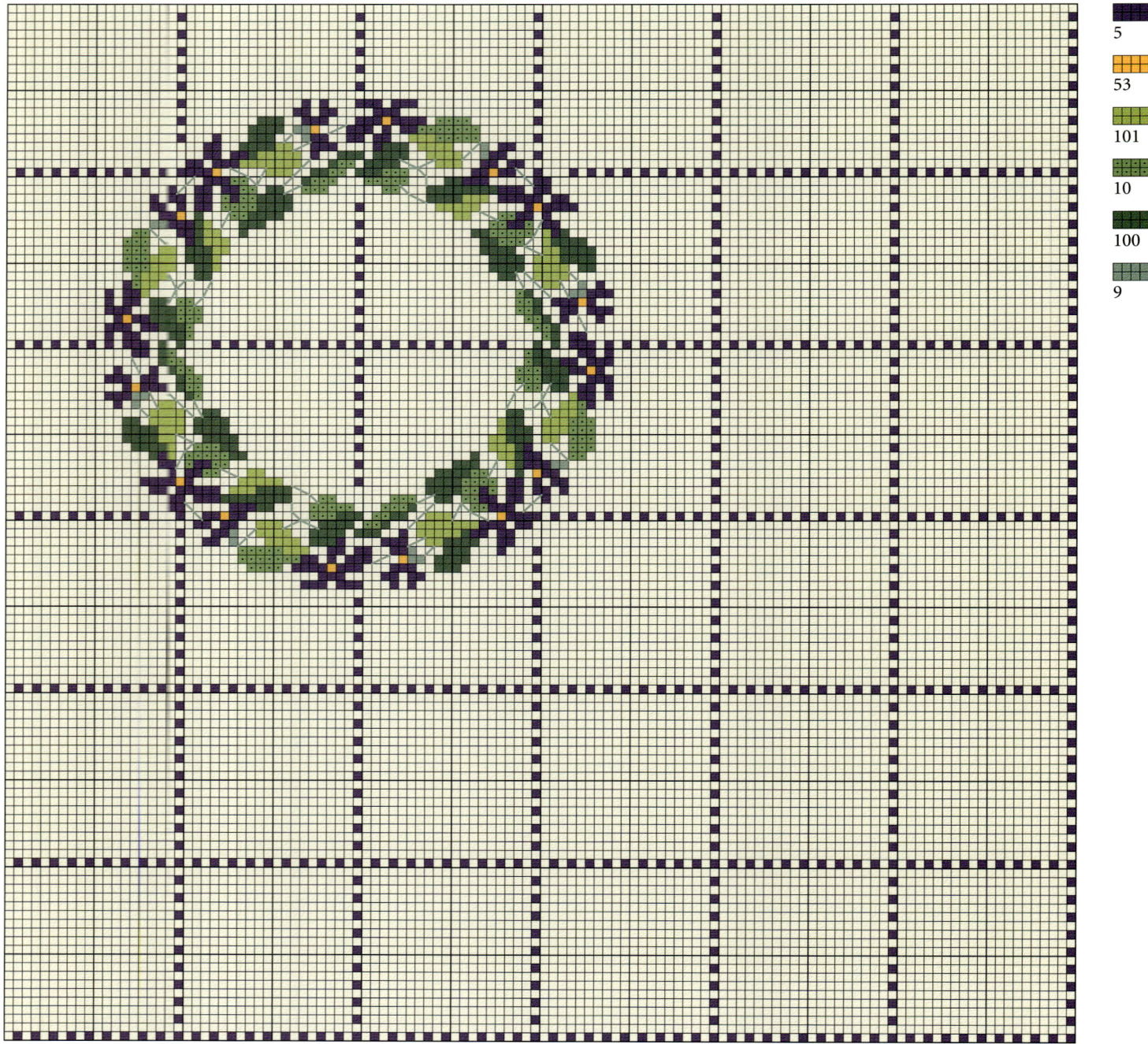

ランチョンマット 未ざらし麻布10目を使用。用意する布のサイズ37×47cm。仕上りサイズ36×46cm。刺繍の部分32×42cm。
仕上げ方：巾4cm+縫いしろ分のストライプ柄の布を用意し、刺繍際で縁飾りとします。仕上げ方は10ページ参照。

きじむしろ

ティーポットカバー 未ざらし麻布10目を使用。用意する布のサイズ40×40cmを2枚。仕上りサイズ27×32×8cm。刺繍の部分32×32cm。仕上げ方は14ページ参照。

いちごの花

58

テーブルマット 未ざらし麻布10目を使用。用意する布のサイズ37×47cm。仕上りサイズ36×46cm。刺繍の部分32×42cm。
仕上げ方：巾4cm＋縫いしろ分の布を用意して、刺繍の際で縁飾りとします。仕上げ方は10ページ参照。

デイジー

60

バッグ 未ざらし麻布10目を使用。用意する布のサイズ40×40cmを表裏で2枚。仕上りサイズ23×29×6cm。刺繍の部分29×36cm。作り方は14ページ参照。

葉っぱのリース

クッション 未ざらし麻布10目を使用。用意する布のサイズ22×22cm。
仕上りサイズ36.5×36.5cm。刺繍の部分10.5×10.5cm。
仕上げ方：巾10cm＋縫いしろ分に相応した柄の布を用意し、刺繍から3cmの布を残し縫いつけます。
縫い合わせ目に細いレースを入れ込みます。仕上げ方は8ページ参照。

アルファベット

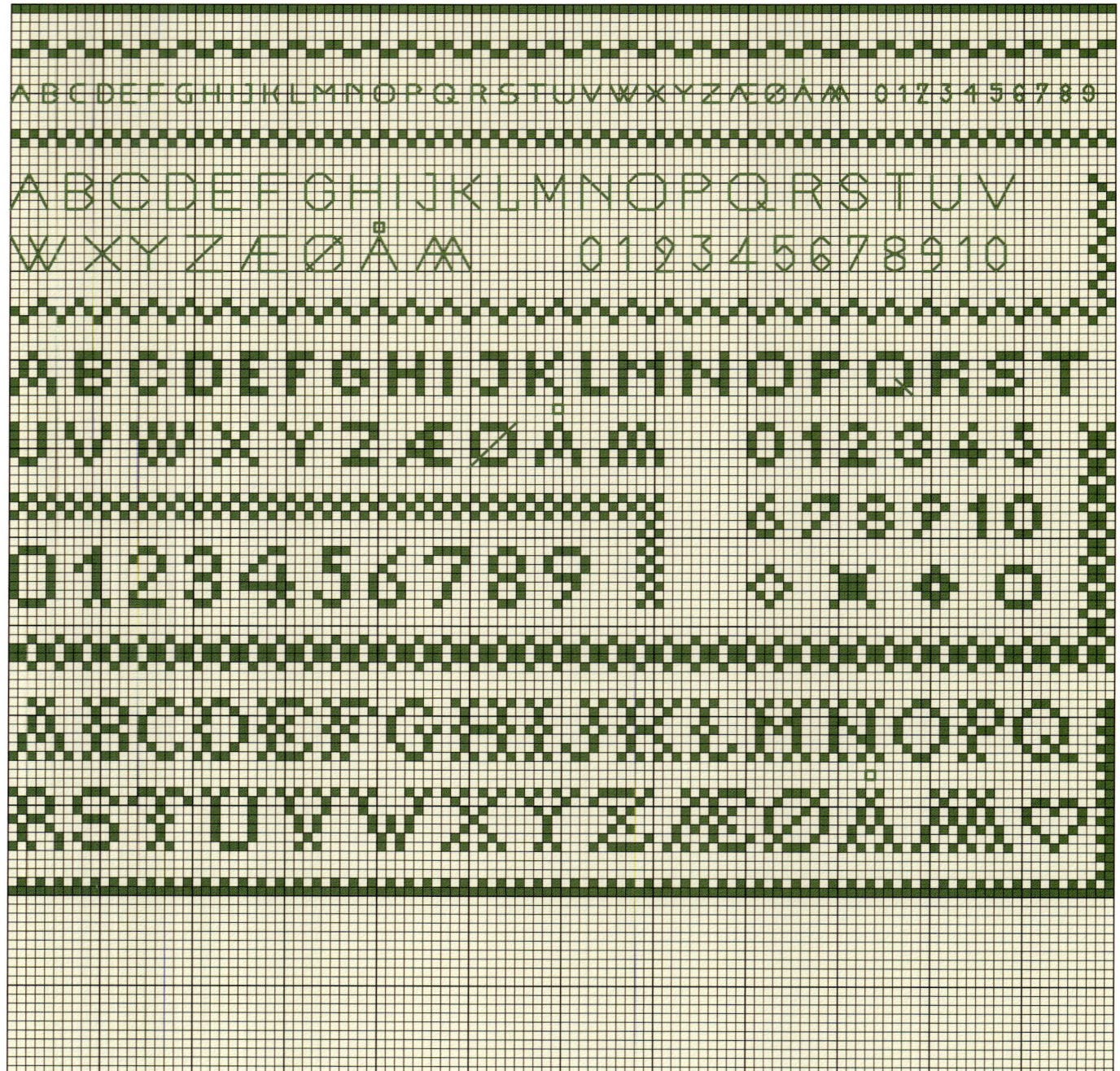

サンプラーとリース　前ページのモチーフのサンプラーと数字を入れた花輪のサンプル。
テキストからアルファベットや記号を選びますが、花輪の中心にバランスよくおさまるようにすることが大切です。花輪のモチーフは62ページ参照。

葉っぱの縁飾り

赤ちゃん用ベッドカバー このパッチワークカバーは4個のボーダー柄に、4個の花輪（モチーフは62ページ参照）、さらに4個の小さい花びら（モチーフは68ページ参照）からでき上がっています。用意する布のサイズと仕上げ方は14ページ参照。

小さい花と葉っぱ

クッション 未ざらし麻布10目使用。用意する布のサイズ35×35cm。仕上りサイズ30×30cm。刺繡の部分30×30cm。
仕上げ方：格子の枠の中は58×58目とし、刺繡をその中央に刺します。
刺繡より2目布を残し裏側の麻布と縫い合わせ、その間にレースをはさみ込みます。

クッション 未ざらし麻布10目を使用。用意する布のサイズ35×35cm。仕上りサイズ44×44cm。刺繍の部分30×30cm。
仕上げ方：格子の枠の中を104×104目とし、その中央にモチーフを刺します。
モチーフは40、44ページ参照。巾7cm+縫いしろ分のチェック柄の布を用意し、刺繍際でこの縁飾り布を縫いつけます。仕上げ方は8ページ参照。

仕上げのアイデア44作品

制作　ヤマナシ ヘムスロイド友の会
撮影　川田正昭

　デンマークのクロスステッチ刺繍のレベルの高さと楽しみ方の豊富さは、暮らしに刺繍が根づいてきた長い伝統があるにせよ、1928年のデンマーク手工芸ギルド設立と、その活動を抜きにしては語れないと思います。著名なデザイナーのゲルダ・ベングトソン女史（1900-1995）たちによって花糸が創り出され世界に刺繍ファンを獲得し、デンマークの"国民的ステッチ"とも呼ばれるようになったからです。

　1974年、スウェーデン南部のマルメ市で開催された北欧5カ国の手工芸連盟主宰の大展覧会で、私は始めて手工芸ギルドの作品に巡り合い、清々しい表現に魅了され、日本に出版や全国的展覧会などを通じて紹介してまいりました。そして30年の間に日本のファンの方々の楽しみ方も進化を続け、今回のイングリット・プロム女史の日本語版にアイデアを載せた作品を発表できるまでになりました。

　繊細でアイデアに富んだフィニッシュが、読者の皆様に刺激を与え、刺繍生活をさらに豊かにすることを願っています。

2008年8月
山梨幹子

1 せつぶん草のテーブルクロス
 ヘム周辺に小花を施しました。
2 せつぶん草のドイリー
 フォーサイドステッチで縁を飾り厚みを出した、ボーダーのフィニッシュが効果的です。
3 せつぶん草のランチョンマットとそろいのコースター
 グリーンのクロスステッチのボーダーで、せつぶん草を際立たせました。
4 林檎の花のトートバッグ
 ポケットに林檎の花を刺し、取っ手とコーナーにワンポイント風に刺しました。
5 林檎の花の裁縫箱
 竹カゴの中底に林檎の花を刺しました。また花の一部をピンクッションに。

6 林檎の花のドイリー
シンプルなヘムステッチ仕上げながら、対の林檎の花でかわいくなりました。

7 林檎の花のテーブルセンター
ドロンワークとフォーサイドステッチを加えてクラシックな作品に仕上げています。

8 林檎の花のクッション
モチーフの周りに全面ドロンワークを刺し、手織りのような地厚の布になりました。

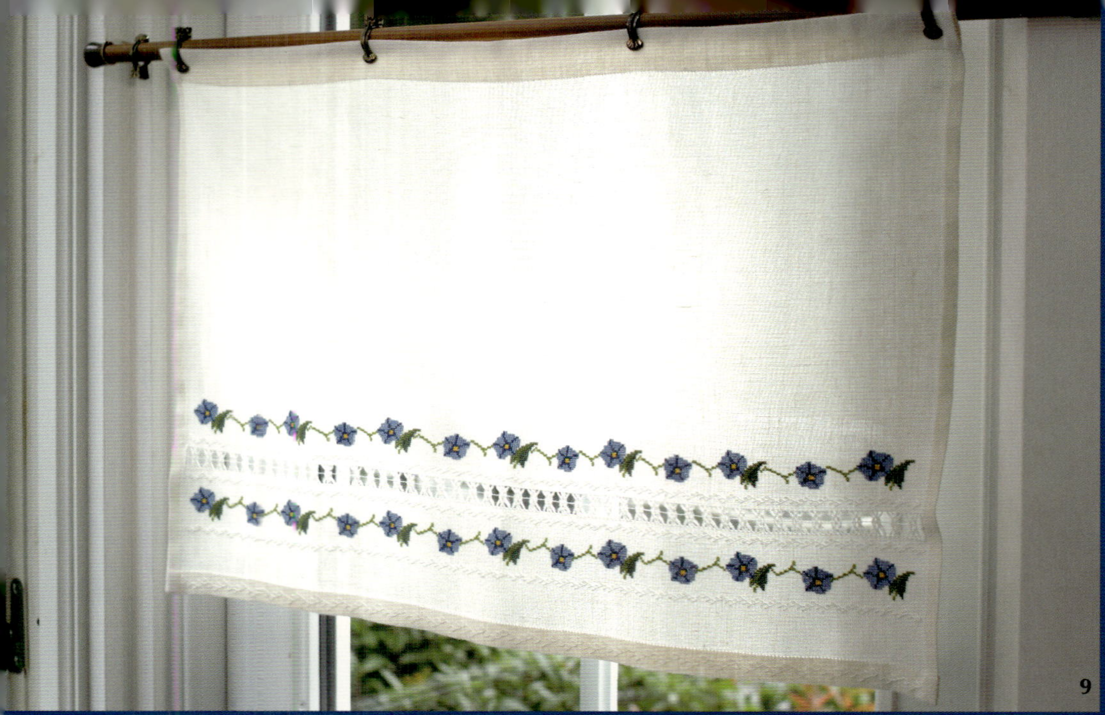

9

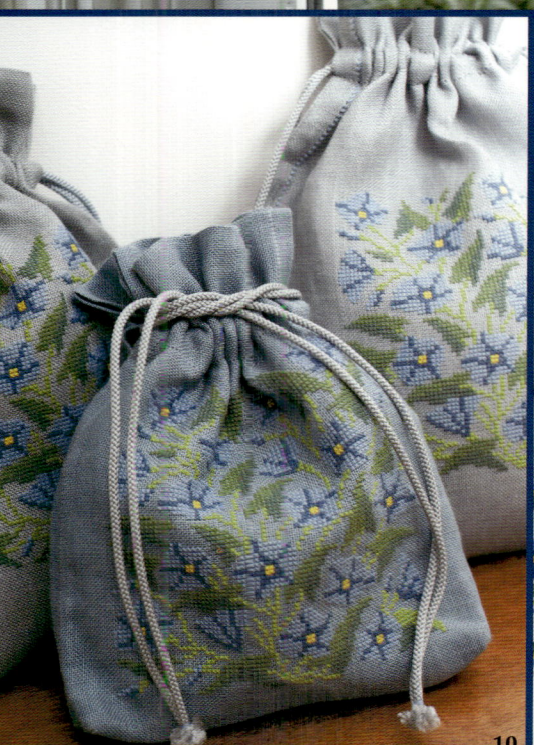

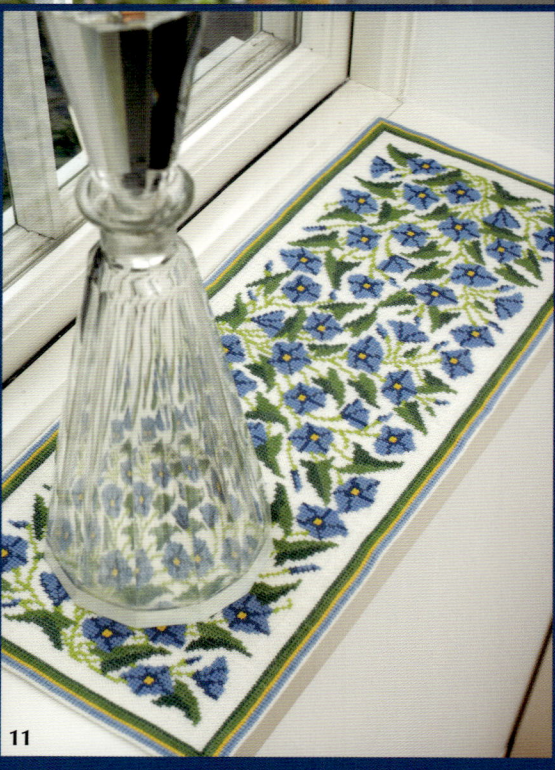

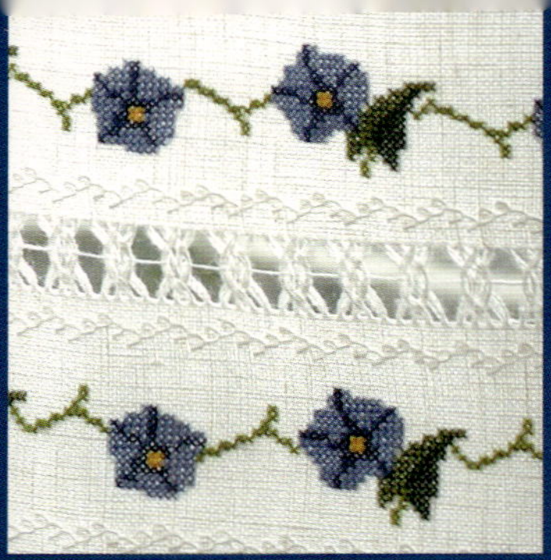

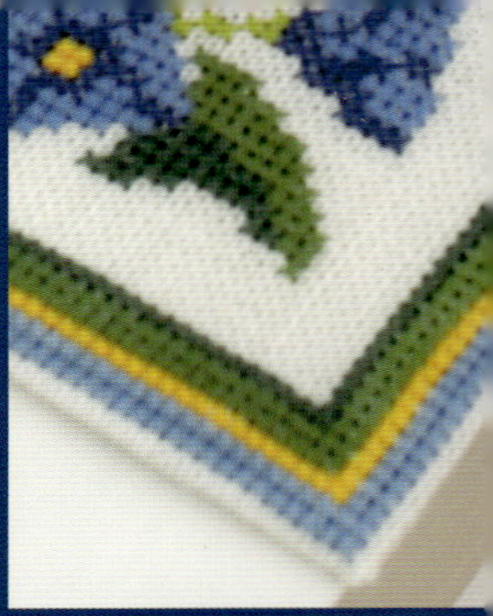

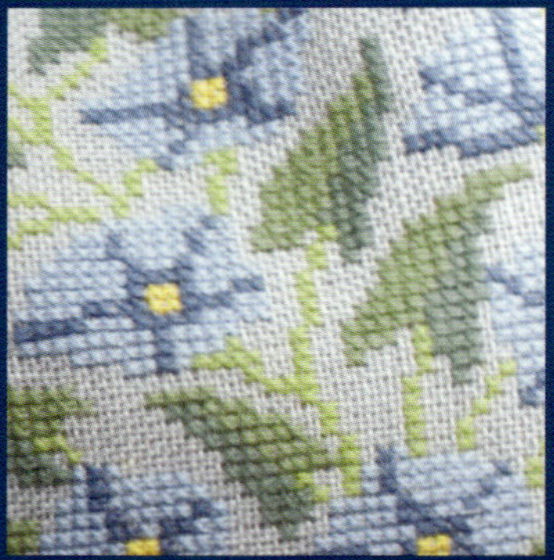

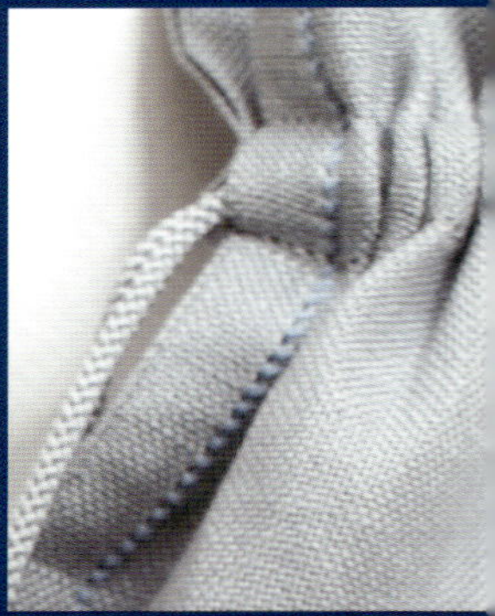

10

11

9　昼顔のカフェカーテン
幅広に糸を抜き、大胆にドロンワークをあしらい、レースカーテンのように仕上げました。

10 昼顔の巾着
ブルーの麻布に刺したら、つづれ織のような仕上がりに。

11 昼顔のテーブルセンター
クロスステッチで花を囲んでかわいく仕上げました。

12 昼顔のクッション
コーナーに小花を刺しました。

13 クリスマスローズのテーブルセンター
ヘムステッチでシンプルにまとめました。

14 クリスマスローズのテーブルランナー
クロスステッチでアクセントをつけたテーブルランナーです。

15 クリスマスローズのトートバッグ
ボーダーラインを2列刺してヘム巾とし、中心の刺繍周りに細いドロンワークでレース効果を出しました。

16 アイビーのカフェカーテン
ボーダー柄のアイビーに小花を散らしました。

17 アイビーのリースのテーブルクロス
縁をヘムステッチで仕上げ、大きなクロスを作りました。

18 葉っぱの縁飾りのテーブルセンター
四隅にモチーフとドローンワークの囲みでレース効果を出しています。

19 葉っぱのリースのテーブルランナー
幅広のハーダンガーで縁をさわやかに演出しました。

20 アイビーの花のカフェカーテン
ハーダンガーでボーダーにレース効果を出しました。

21 アイビーのクッション
ストライプ柄をクロスステッチして、贅沢なボーダー柄となりました。

22 こけもものパーティーバッグ
紐を織って、もち手につけました。

23 ばらの実のテーブルランナー
クロスステッチで縁取りをしてラインで囲み、モチーフをつないでモダンな感覚に。

24 りんぼくのティーコーゼ
パイピングで仕立てました。

25 りんぼくのエプロンとキッチンミトン
エプロンのひもとボーダーにりんぼくカラーでクロスステッチを施しています。

26 りんぼくのテーブルセンター
ドロンワークとクロスステッチでボーダーを華やかにしました。

27 クリスマスローズのティーコーゼ
モチーフの周りにカウントステッチをあしらっています。

28 樫の実と葉のテーブルセンター
ドロンワークの縁飾りでヘムを仕上げました。

29 スコットランドのバラの箱
作品をまったく異なる技術で箱に仕立てました。

30 スコットランドのバラのテーブルセンター
ドロンワークでゆったりとモチーフを囲み、大きい作品となりました。

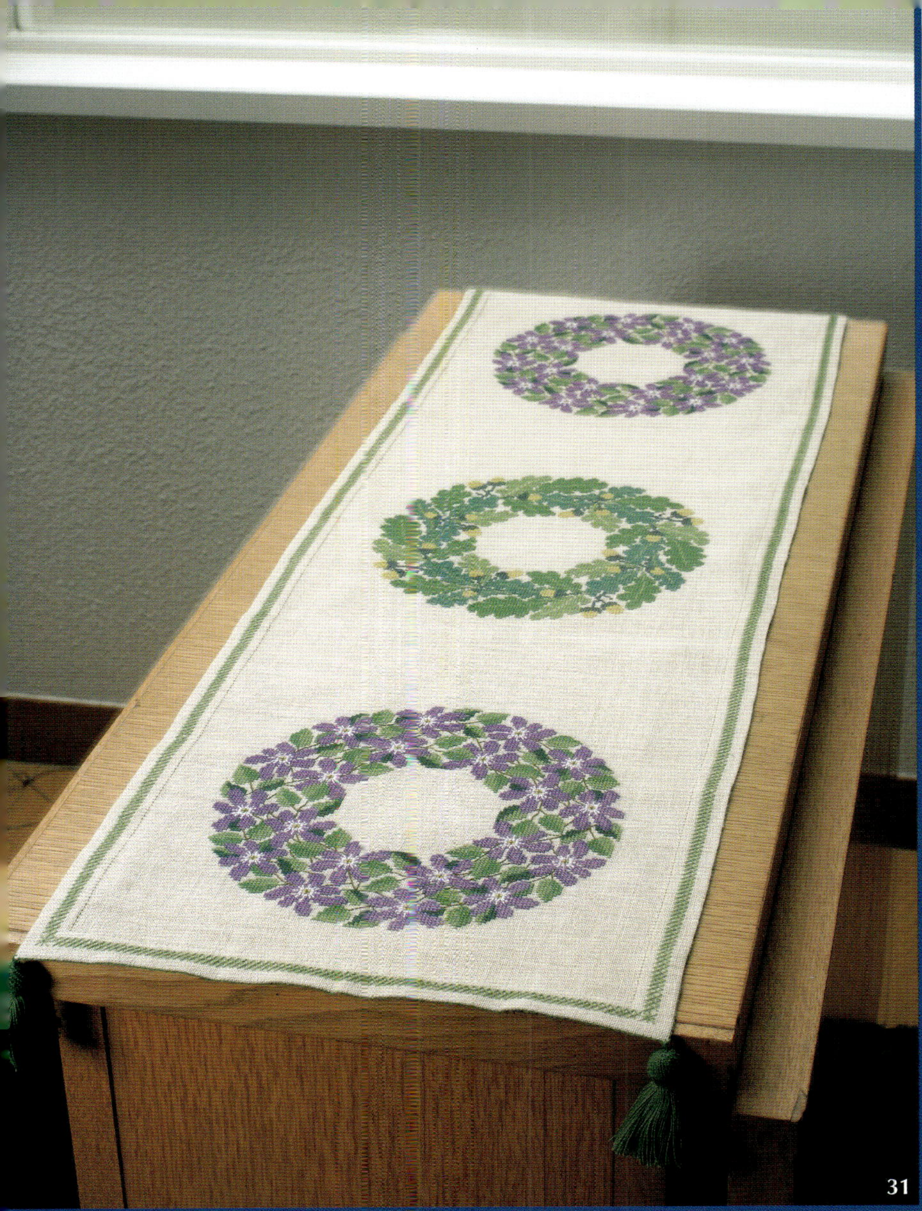

31

32

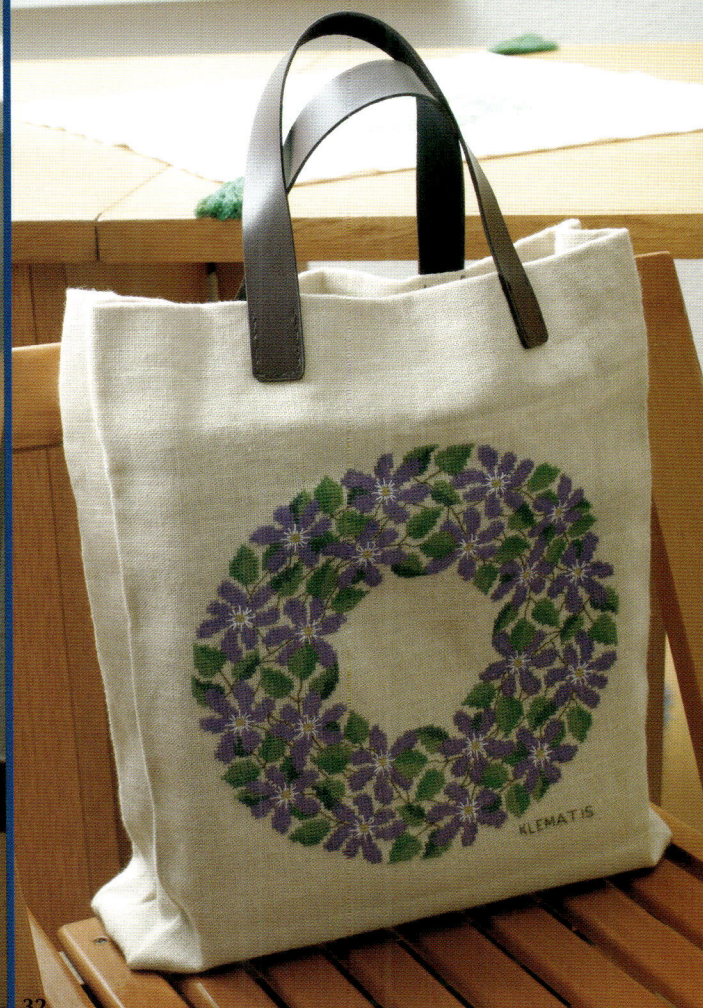

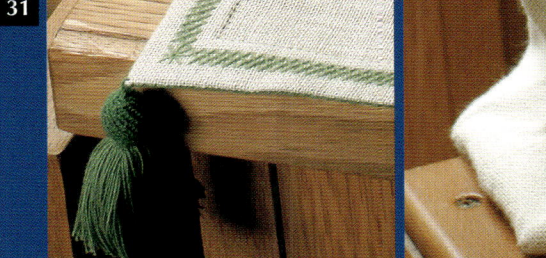

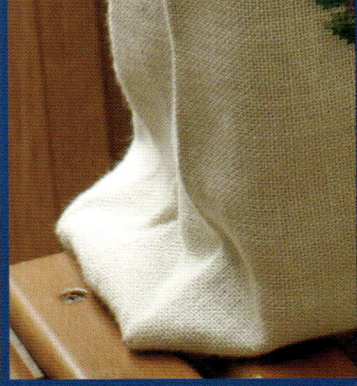

31 **クレマチス・樫の実と葉のテーブルランナー**
ヘムの位置にクロスステッチでボーダーを刺して、四隅にタッセルをつけています。

32 **クレマチスのトートバッグ**
大きなクレマティスの花にあわせ、マチを広くしました。

33 イチゴの花の巾着
　ひも通しをブランケットステッチで作りました。

34 イチゴの花のブックカバー
　斜めの白の線で手織りの感触になりました。

35 イチゴの花のテーブルランナー
　四辺をフリンジ仕立てにして、クラシックな趣に。

36 きじむしろのテーブルランナー
端をフリンジ仕上げにして、早春の作品になりました。

37 デイジーのドイリー
デイジーのダンスのようにかわいい作品になりました。

38 デイジーのテーブルセンター
習ったばかりのボビンレースを二重につけ、ヘムの上にホワイトワークしました。

83

39 | 40

39 葉っぱの縁飾り
ドロンワークで四辺をふちどった窓飾りです。

40 葉っぱの縁飾りの鉢カバー
市販の麻布テープにマッチする麻の生地が決めてです

41 小さい花のカフェカーテン
モチーフを白糸のクロスステッチで囲みました。

42 小さい花と葉っぱのクッション
モチーフの周りをフォーサイドステッチで囲み、ビーズを周りにつけました。

43 小さい花と葉っぱのカフェカーテン
小さいハーダンガーと小さいモチーフの組み合わせで、上品に仕上がりました。

44 小さい花と葉っぱのカード入れ
無機質なプラスチックのカード入れが、刺繍のカバーでかわいいカード入れに変身。

製作者一覧

1	せつぶん草のテーブルクロス	水野正子
2	せつぶん草のドイリー	藤村知恵子
3	せつぶん草のランチョンマットとそろいのコースター	平井さとみ
4	林檎の花のトートバッグ	杉田 恵
5	林檎の花の裁縫箱	新粥葉子
6	林檎の花のドイリー	阿部啓子
7	林檎の花のテーブルセンター	降幡和子
8	林檎の花のクッション	小川ふみよ
9	昼顔のカフェカーテン	森 裕美
10	昼顔の巾着	諫山敬子
11	昼顔のテーブルセンター	坂内妙子
12	昼顔のクッション	品野静香
13	クリスマスローズのテーブルセンター	中森厚子
14	クリスマスローズのテーブルランナー	笈川尚子
15	クリスマスローズのトートバッグ	尾田美代子
16	アイビーのカフェカーテン	小河靖子
17	アイビーのリースのテーブルクロス	松川柳子
18	葉っぱの縁飾りのテーブルセンター	倉内暢子
19	葉っぱのリースのテーブルランナー	﨑村由紀
20	アイビーの花のカフェカーテン	有山直美
21	アイビーのクッション	小山慶子
22	こけもものパーティーバッグ	杉田 道
23	ばらの実のテーブルランナー	谷村和子
24	りんぼくのティーコーゼ	羽鳥尚子
25	りんぼくのエプロンとキッチンミトン	東野充子
26	りんぼくのテーブルセンター	島崎ゆう子
27	クリスマスローズのティーコーゼ	中野艶子
28	樫の実と葉のテーブルセンター	野木幸子
29	スコットランドのバラの箱	田口惜子
30	スコットランドのバラのテーブルセンター	除村恵子
31	クレマチス・樫の実と葉のテーブルランナー	宮川和子
32	クレマチスのトートバッグ	小池玲子
33	イチゴの花の巾着	見並実生
34	イチゴの花のブックカバー	三谷百合子
35	イチゴの花のテーブルランナー	石川佐代子
36	きじむしろのテーブルランナー	梶原由美
37	デイジーのドイリー	山中由美子
38	デイジーのテーブルセンター	安はるか
39	葉っぱの縁飾り	伊藤泰子
40	葉っぱの縁飾りの鉢カバー	片山芳子
41	小さい花のカフェカーテン	川村愛子
42	小さい花と葉っぱのクッション	正垣ミヤコ
43	小さい花と葉っぱのカフェカーテン	西澤文子
44	小さい花と葉っぱのカード入れ	松下百合子

この本で扱っているクロスステッチの材料をお求めのかたは、下記へお問い合せください。

ヤマナシ ヘムスロイド
http://yhi1971.com

● **表参道ショップ**
〒150-0001 東京都渋谷区神宮前 4-3-16
TEL 03-3470-3119 FAX 03-3470-2669
mail@yhi1971.com

● **東急本店ショップ**
〒150-0043 東京都渋谷区道玄坂 東急本店6階
TEL/FAX 03-3477-3314

取扱商品：デンマーク手工芸ギルドの花糸、刺繍用針、麻布、麻糸、金糸、銀糸 他

※ヤマナシ ヘムスロイドでは北欧の刺繍、織り物の教室、通信講座も開催しています。お気軽にお問い合せください。

編集協力	山住良子、東野充子、寺原百合子
ブックデザイン	神楽坂上ルデザイン室（清水宣博＋小澤いずみ）＋松田洋一
企画協力	東急百貨店

付録ページ
作品制作	ヤマナシ ヘムスロイド友の会
撮影	川田正昭

イングリット・プロムのデンマーク・クロスステッチ I
花とベリー

2008年10月1日 初版第一刷発行

デザイン	イングリット・プロム
写真	ユッテ・ラデゴー
訳・監修	山梨幹子
発行	ヤマナシ ヘムスロイド 東京都渋谷区神宮前4-3-16（〒150-0001） 電話03-3470-3119
発売	ブッキング 東京都文京区本郷3-40-11（〒113-0033） 電話03-5840-8497（代表）
印刷・製本	株式会社シナノ

Printed in Japan　ISBN978-4-8354-4397-3　C2376

分売不可（定価は外箱に表示してあります）
落丁・乱丁本はお取替えいたします。
この本に掲載されたデザインを複製、転載したり、許可なくこのデザインを
利用・転用した作品の販売をすることは法律で禁じられています。